Soares

O filho de Maria

CB002001

Dados Internacionais de Catalogação na Publicação (CIP)
(Câmara Brasileira do Livro, SP, Brasil)

Soares
O Filho de Maria / Soares. – 3. ed. – São Paulo : Paulinas, 2015

ISBN 978-85-356-3866-0

1. Literatura infantojuvenil 2. Jesus Cristo – Literatura infantojuvenil 3. Maria, Virgem Santa – Literatura infantojuvenil I. Título.

14-13212 CDD-028.5

Índices para catálogo sistemático:

1. Jesus Cristo: Literatura infantojuvenil
2. Maria, Mãe de Jesus: Literatura infantojuvenil

Ilustrações: *Soares*

3ª edição – 2015
3ª reimpressão – 2023

Nenhuma parte desta obra poderá ser reproduzida ou transmitida por qualquer forma e/ou quaisquer meios (eletrônico ou mecânico, incluindo fotocópia e gravação) ou arquivada em qualquer sistema ou banco de dados sem permissão escrita da Editora. Direitos reservados.

Cadastre-se e receba nossas informações
www.paulinas.com.br
Telemarketing e SAC: 0800-7010081

Paulinas

Rua Dona Inácia Uchoa, 62
04110-020 – São Paulo – SP (Brasil)
(11) 2125-3500
editora@paulinas.com.br

© Pia Sociedade Filhas de São Paulo – São Paulo, 2001

Há quase dois mil anos, em Nazaré – uma pequenina cidade da Palestina –, morava uma jovem muito bonita. Chamava-se Maria e era filha de Ana e Joaquim. Aos 16 anos, Maria já estava noiva de José, o carpinteiro. Como toda jovem daquele tempo, Maria ajudava sua mãe em casa enquanto aguardava por seu casamento.

Certo dia, Maria preparava-se para dormir quando uma luz forte iluminou o quarto todo. Nesse momento, ela ouviu uma voz suave que dizia: "Olá, Maria!". Era o anjo Gabriel. Ele tinha vindo avisá-la de que ela iria ter um filho, que ele se chamaria Jesus e seria o Salvador de seu povo. Maria não entendeu muito bem o que acontecia e assustou-se, pois ainda não era casada. Mesmo assim, ficou maravilhada por ter sido a escolhida.

O mesmo anjo que havia visitado Maria apareceu também para José, contando-lhe a novidade e recomendando: “José, cuide bem do bebê que vai nascer e sejam felizes!”. No início, José não acreditou muito naquela notícia, mas depois confiou no anjo e começou a preparar-se para o casamento e a chegada do bebê.

Os preparativos para o casamento foram feitos com muito capricho e carinho, pois viriam todos os amigos, vizinhos e parentes. No dia da festa, os noivos e os convidados cantaram e dançaram. Foi grande a animação, com muita música, vinho e comida, e a festa durou vários dias.

Passada a agitação do casamento, já na calma de seu lar, Maria e José estavam muito felizes. A vida era tranquila. Maria rezava, cuidava de sua casa e também se ocupava em preparar as lindas roupinhas do bebê, enquanto José, com todo o cuidado, fazia o bercinho.

Naquele tempo, reinava o imperador César Augusto, de Roma. Para poder controlar melhor a Palestina, ele precisava saber quantas pessoas moravam no país. Por isso, ele determinou que cada pessoa deveria estar na cidade onde tinha nascido, para os fiscais do império poderem contá-las uma a uma.

José morava em Nazaré, mas tinha nascido em Belém. Por isso, precisava andar bastante pra voltar a sua cidade natal. Preocupado com Maria e com o bebê que estava para nascer, no dia da viagem ele acordou cedo e preparou seu burrinho, arrumando numa sacola um pouco de comida e as roupinhas do bebê. Assim, juntos partiram para Belém.

Foram muitos e muitos dias de viagem, enfrentando sol escaldante e noites frias. Atravessaram planícies, colinas, lugarejos e cidadezinhas. Quando já estavam muito cansados, avistaram Belém e sorriram aliviados. O burrinho apenas relinchou. Ele não sabe sorrir.

Por causa da ordem do imperador, havia muita gente pelas ruas de Belém, e não sobrou nenhuma vaga nas pensões. José não sabia o que fazer, e eles estavam exaustos. Depois de muita procura, um senhor gentil mostrou umas grutas que ficavam próximas de Belém. José ficou agradecido, pois finalmente tinha conseguido um cantinho para descansarem.

Chegando à gruta, José percebeu que havia mais pessoas nas redondezas, mas ele não se importou nem um pouco. Como o cansaço não o deixava dormir, ficou tomando conta de Maria enquanto observava alguns pastores que se aqueciam em volta de uma fogueira. Mais tarde, finalmente, pegou no sono.

No meio da noite, José acordou com um choro de criança e percebeu que o céu se iluminou de forma diferente. Surpreso, José viu Maria com o bebê que havia acabado de nascer. Ajoelharam-se calados, porque naquele momento nenhuma palavra poderia exprimir tanta felicidade.

Como fazia muito frio, José colocou o pequeno em uma manjedoura. Uma vaquinha, ovelhas e o burrico que pastavam por perto aproximaram-se e com seu calor ajudaram a aquecer o menino.

Calada, Maria observava seu pequeno filho. Apesar das difíceis condições em que se encontrava, em seu coração reinava uma grande paz. Com o rosto iluminado pela luz divina, Maria sorriu e elevou as mãos para os céus, agradecendo a Deus por esta glória.

Os pastores que dormiam em volta da fogueira foram acordados por um anjo: “Vão para a gruta! Ele está na manjedoura. O Salvador esperado nasceu. Depressa!”. Os pastores, as ovelhas e os cordeirinhos foram até a gruta. Uma grande multidão de anjos apareceu e juntos cantaram: “Glória a Deus no mais alto dos céus e paz na terra aos homens de boa vontade”.

Naquela mesma noite, uma grande e brilhante estrela com cauda luminosa atravessou o céu e foi vista por três sábios, que já esperavam o nascimento do Salvador. Maravilhados, eles logo compreenderam que aquele era um sinal. Pela sua sabedoria, os sábios Melquior, Gaspar e Baltazar, montados em seus camelos, seguiram então a brilhante estrela, atravessando o deserto.

Andaram seguindo
a estrela sem parar muitos
dias e muitas noites...
Chegando em Belém,
perceberam que o brilho
era mais forte e concluíram
que era lá que devia estar
o Salvador esperado.
Então desceram dos
camelos.

Do alto da colina,
os sábios podiam ver
a estrela iluminando
a pequena família,
os pastores reunidos
na gruta, todos rezando
e agradecendo a Deus
pelo milagre que havia
acabado de acontecer.

Chegando mais perto, ajoelharam-se e adoraram o bebê, pois sabiam que ele era o Salvador. Como sinal de seu reconhecimento, ofertaram à criança valiosos presentes: ouro, incenso e mirra. Depois de prestarem esta homenagem, eles partiram radiantes de alegria.

Esta história se passou há muito tempo, numa cidade muito pequenina, mas hoje ela é conhecida no mundo todo. E, para lembrar a alegria desse dia, até hoje os cristãos comemoram todos os anos o nascimento de Jesus em um grande dia de festa chamado Natal.

Rua Dona Inácia Uchoa, 62
04110-020 – São Paulo – SP (Brasil)
Tel.: (11) 2125-3500
http://www.paulinas.com.br – editora@paulinas.com.br
Telemarketing e SAC: 0800-7010081